Analy

Paroles

de Jacques Prévert

lePetitLittéraire.fr

JACQUES PRÉVERT

POÈTE ET SCÉNARISTE FRANÇAIS

- **Né en 1900 à Neuilly-sur-Seine (Île-de-France)**
- **Décédé en 1977 dans la Manche**
- **Quelques-unes de ses œuvres :**
  - *Le Cheval de Trois* (1946), poésie
  - *Fatras* (1966), poésie
  - *La Cinquième Saison* (1984), poésie

Jacques Prévert est un poète, scénariste et parolier français. Il se passionne très tôt pour la littérature et adhère au non-conformisme absolu prôné par le mouvement surréaliste. Pourtant, en 1929, sa soif d'indépendance le fait rompre avec les exigences du groupe dictées par André Breton (poète et écrivain français, principal animateur et théoricien du surréalisme, 1896-1966). Une période d'intense création suit la rupture : Prévert produit poésies, chansons (*Les Feuilles mortes*, 1945) et scénarios (*Quai des brumes*, 1938). Il atteint la reconnaissance grâce à son recueil de poésies *Paroles* (1946).

Artiste révolté, ses combats contre la violation des droits de l'homme et l'irrespect de la nature en font un écrivain toujours d'actualité.

PAROLES

UNE ŒUVRE ACTUELLE ET UNIVERSELLE

- **Genre :** poésie
- **Édition de référence :** *Paroles*, Paris, Gallimard, coll. « Folioplus classiques », 1949, 296 p.
- **1re édition :** 1946
- **Thématiques :** amour, religion, mort, guerre

Recueil de poèmes publié en 1946, *Paroles* comprend 95 textes dont les thèmes principaux sont la dénonciation de la violence, l'oppression et l'amour.

Les textes suscitent l'intérêt du public autant par leur richesse, leur construction travaillée et leurs références culturelles que par les sujets actuels et universels qui y sont abordés. L'œuvre a été vendue à plusieurs millions d'exemplaires, ce qui fait de Prévert le poète le plus lu aujourd'hui.

ÉCLAIRAGES

Paroles est un recueil de poèmes donnés par Jacques Prévert à des amis ou publiés dans diverses revues littéraires telles que dans *Commerce*, revue fondée en 1924 par Paul Valéry (écrivain, poète et philosophe français, 1871-1945) ou *La Révolution surréaliste*, fondée la même année. Ils ont été rassemblés par l'éditeur français René Bertelé (1908-1973), sans qui l'œuvre de Prévert serait demeurée dispersée, bien que ses poèmes aient été regroupés une première fois par des étudiants de Reims mais de façon amateure et partielle. La réunion des poèmes de Prévert est d'une grande importance puisqu'elle a permis au poète d'atteindre la reconnaissance en faisant de l'ensemble de ses textes, encore trop méconnus, une œuvre qui donne la mesure réelle de son génie. L'édition définitive date de 1947.

Les thèmes du recueil sont nombreux. Prévert y dénonce entre autres la violence et la guerre (« Chanson dans le sang »), la politique bourgeoise (« La Batteuse »), le cléricalisme (« La Crosse en l'air »), l'emprisonnement (« La Chasse à l'enfant ») et la colonisation (« L'Effort humain »). Sa poésie est donc, en grande partie, ouvertement engagée au niveau politique et social. L'œuvre évoque également Paris (« Paris at night »), le temps (« Le temps perdu »), la société (« Le temps des noyaux »), le quotidien (« Contrôleur »), la liberté (« Pour faire le portrait d'un oiseau »), l'amour (« Rue de Seine »), l'art et la création (« Promenade de Picasso »).

Le contexte historique de rédaction de ce recueil, celui de l'entre-deux-guerres, est d'une importance capitale pour sa compréhension : s'y enchainent paralysie politique, crise économique mondiale (1929), scandales politiques et financiers. Le climat social laisse à désirer : les horaires de travail sont longs et les salaires bas, la couverture sociale est inexistante de même que les caisses de retraite, et les syndicats sont muselés. Il n'existe à l'époque quasiment pas de législation sociale. La naissance du travail à la chaine signe en outre l'écrasement de l'ouvrier par le machinisme. La situation des agriculteurs n'est pas meilleure en ce qu'ils vivent dans un régime de quasi-féodalité.

Aussi Prévert dénonce-t-il la volonté des puissants, et notamment de l'Église catholique, de soumettre les petites gens en les forçant à la résignation notamment par la promotion de la souffrance ici-bas pour le rachat des péchés dans l'au-delà et par le silence du pape sur les agissements de Franco (général et homme d'État espagnol, 1892-1975) et de Mussolini (homme d'État italien, 1883-1945). L'autre ennemi du peuple se trouve dans les gradés de l'armée qui cherchent à envoyer le peuple à la guerre en agitant la carotte d'une France glorieuse et conquérante.

L'Europe au début du XXe siècle

Sur la scène internationale, l'atmosphère est celle de l'avènement de la droite, du totalitarisme et du bellicisme. En 1922, Mussolini prend le pouvoir en Italie suite à la crise économique, à la peur des revendications ouvrières et du communisme. Onze ans plus tard, les mêmes raisons, auxquelles doivent s'ajouter l'humiliation de la défaite de 1918 et l'antisémitisme, amènent

Hitler au pouvoir (homme d'État allemand, 1889-1945). En Espagne, c'est le général Franco qui sévit contre la gauche. En somme, tout n'est que dictature dans une Europe mise à mal.

Ainsi, Prévert endosse le rôle d'agitateur, celui qui fait réfléchir et cherche à bouleverser le cours des choses par sa plume dénonciatrice et revendicatrice. L'ensemble de son œuvre se veut un moyen de donner la parole à ceux qui ne l'ont pas.

PERSONNAGES

Si l'on ne peut réellement parler de personnages dans ce qui est devenu un des recueils de poésie les plus populaires du XXe siècle, on note tout de même la récurrence de certaines figures ou concepts.

LES ANIMAUX

L'ensemble des *Paroles* de Prévert ne comprend pas moins de 32 poèmes ayant pour thème les animaux. Sur ces 32 poèmes, 19 mettent en scène des oiseaux, qu'ils soient simples corbeaux, hirondelles, oiseaux de paradis, oiseaux-lyres ou même phénix. Dans tous les cas, quelle que soit l'espèce choisie par Prévert, l'oiseau est la personnification de la liberté : celle de l'écolier enfermé dans sa salle de classe (« Page d'écriture ») ou bien celle de l'homme face à la religion (« La Crosse en l'air ») :

> « C'est l'oiseau de la jeunesse
> L'oiseau qui rit aux éclats
> ... et voilà le pape qui pousse un long cri de détresse et qui pique une tête et qui roule à terre et qui pique une crise et qui se relève en hurlant
> Il a reçu un éclat de rire dans l'œil
> [...]
> Poursuivi par l'oiseau moqueur
> L'oiseau qui rit comme un enfant
> Allez laisse
> [...]
> Laisse c'est un vieux
> Sauve-toi... va-t'en... » (v. 827-840)

Dans le poème « Au hasard des oiseaux », on remarque une certaine connivence entre le poète et l'oiseau, deux espèces qui ont souvent été associées, et ce dès l'Antiquité (le char d'Apollon, dieu protecteur de la musique et de la poésie, était par exemple tiré par des cygnes).

LES ENFANTS

Les enfants, souvent protagonistes des poèmes de *Paroles*, peuvent être considérés comme les pendants humains des oiseaux. Rebelles et impertinents (comme c'est le cas dans le poème « L'Accent grave » où l'élève Hamlet répond à son professeur), ils représentent la liberté. Dans « Chasse à l'enfant » et « Page d'écriture », ils sont même associés.

Prévert choisit souvent le camp des enfants face aux adultes. « Chasse à l'enfant », qui raconte la fuite d'un enfant face à des adultes transformés en animaux et regroupés en meute qui hurle et galope, le prouve. À cela s'ajoute l'humour assez enfantin du poète, que ce soit dans « Les Belles Familles » ou dans « Tentative de description d'un dîner de têtes à Paris-France » : « et c'est tout à fait par hasard que je me rends dans votre petit intérieur./ Premier qui dit "et ta sœur" est un homme mort. » (v. 168-169)

PARIS

Évoquée à 15 reprises dans le recueil, Paris semble vivant, presque à l'image d'une femme. La ville est soit expressément nommée « Paris at night », « Tentative de description d'un dîner de têtes à Paris-France », soit évoquée par le nom d'endroits emblématiques tels que « rue Pigalle », « place de la Concorde », « rue de Ménilmontant », « Grand Palais », « gare Saint Lazare », etc. Preuve que Paris devient un personnage à part entière, le poème « La rue de Buci maintenant » présente une personnification de cette rue parisienne :

> « Pauvre rue qui ne veut plus qui ne peut plus rien dire
> Pauvre rue dépareillée et sous-alimentée
> on t'a retiré le pain de la bouche
> [...]
> on t'a rentré tes chansons dans la gorge
> on t'a enlevé la gaieté
> et le diamant de ton rire s'est brisé les dents » (v. 36-42)

De plus, Prévert, sorte de titi parisien (enfant de Paris débrouillard et impertinent), n'hésite pas à recourir à l'argot parisien et à un vocabulaire de la rue. On retrouve par exemple les termes « bifton », « chiard », « pisseux », « taulard », etc.

LES PERSONNALITÉS ACTUELLES

Paroles est un recueil que Prévert a commencé en 1930, et qui a été publié au lendemain de la Seconde Guerre mondiale (1939-1945). D'une façon très nette, Prévert inscrit son œuvre dans une temporalité précise, en mentionnant notamment des dirigeants/dictateurs de son époque : Mussolini est ridiculisé dans « La Crosse en l'air » (« le voilà l'authentique gugusse », v. 532). Même constat pour Hitler dans « L'Effort humain », où les croix gammées ont autant de valeur que les ouistitis porte-bonheur, pour Pétain qui est désigné comme « un vieillard blême » (v. 21), « sénile et sûr de lui » (v. 41) dans « L'Ordre nouveau », et pour Laval, qui dans « La Crosse en l'air » est prêt à embrasser la mule du pape, qu'elle soit l'animal ou la chaussure.

Cette façon de ridiculiser ces dirigeants adeptes du culte de la personnalité est d'autant plus logique quand on sait que Prévert s'est engagé dans la Résistance et a caché des juifs, dont son ami le compositeur Joseph Kosma (né en 1969).

Mais outre ces portraits au vitriol de ces figures politiques, Prévert met sa plume au service d'artistes dont il se sent proche : le poète anglais William Blake (1757-1827) à qui il dédie « Noces et banquets », le peintre Vincent Van Gogh (1853-1890) dans la « Complainte de Vincent », et surtout Picasso (peintre, dessinateur et sculpteur espagnol, 1881-1973) qui clôt le recueil avec les poèmes « Promenade de Picasso » et « Lanterne magique de Picasso ». Prévert évoque également, dans ce dernier poème, Paul Éluard (poète français, 1895-1952) et André Breton, les figures du surréalisme, auquel il a adhéré pendant un temps.

CLÉS DE LECTURE

THÈMES

L'amour

L'amour apparait comme un remède à l'ennui, la trace du sentiment de vivre et de « l'incertitude de mourir » (« Lanterne magique de Picasso », v. 19). Seuls l'amour et l'art sont capables de faire reculer la guerre et les idées noires nées d'un monde qui s'enlise : l'amour est ce sentiment qui parvient même à faire aimer l'humanité telle qu'elle est, dans tous ses horribles travers.

Prévert condamne la vulgarité dans l'amour : les manières grasses de toucher à la pureté des femmes, les plaisanteries grivoises et les visites obscènes des hommes d'Église dans les bordels, car il les associe à la violence. Ainsi, la brutalité dans l'amour le répugne. Pourtant, Prévert célèbre d'autres formes avilies de l'amour, ou du moins répréhensibles par la morale traditionnelle. C'est le cas de l'amour libre et insouciant. Le poète aime les plaisirs défendus, les risques en amour ou encore le caractère éphémère des aventures. À l'inverse de l'amour possessif et exclusif et de son cortège de promesses, l'amour libre est, à ses yeux, heureux et ne mène pas à l'échec. Prévert conçoit cet amour comme le courage de se libérer soi-même et de libérer l'autre d'un amour dégradé qui agonise et meurt. L'amour libre est toujours vrai et heureux :

> « Est-ce ma faute à moi
> Si ce n'est pas le même

> Que j'aime chaque fois » (« Je suis comme je suis », v. 7-9)

La religion

Prévert considère que les prêtres sont de connivence avec les oppresseurs du peuple, les maitres et les meneurs de guerre. Pour s'en rendre compte, il suffit de voir le massacre des indigènes qui se couple à leur conversion forcée par les missionnaires : la religion se veut moralisatrice et donneuse de leçons, mais se retrouve bien souvent à l'origine de persécutions. Le poète est déçu par le pape qui, face aux difficultés que connait le monde, ne réagit pas : le Vatican et l'Église regorgent de richesses dont le cœur du souverain pontife est visiblement dépourvu.

Enfin, Prévert multiplie les marques d'incrédulité face aux dogmes et aux pratiques de l'Église, qu'il tourne en dérision. Nous retrouvons par exemple le champ lexical de la tromperie doublé d'une accumulation à partir du v. 242 dans « La Crosse en l'air » : « La roublardise la papelardise/ Et tous ces simulacres/ toutes ces mornes et sérieuses pitreries/ toutes ces vaticaneries.... ces fétiches... ces gris-gris ». L'artiste est ouvertement dans la dénonciation, multiplie les formules assassines telles que « toutes ces couteuses ces ruineuses saloperies » (« La Crosse en l'air », v. 250) et déplore la prosternation de la foule qui, au lieu de profiter de sa liberté, demeure dupe de ces supercheries. Pire encore, la parole de Jésus est un terrain propice au conservatisme social. En tant qu'opium du peuple, elle justifie l'exploitation au travail et la dureté de la vie : si les hommes souffrent ici, ils seront récompensés là-bas, un jour. C'est pourquoi Prévert est athée :

> « A comme absolument athée
> T comme totalement athée
> H comme hermétiquement athée
> É accent aigu comme étonnamment athée
> E comme entièrement athée. » (v. 865-869)

Il refuse de se laisser apprivoiser, surtout parce que la religion, intolérante et démissionnaire, accepte trop souvent la guerre.

La mort

La religion donne un sens à la mort. Mais Prévert la considère seulement comme un évènement nécessaire et naturel lié à notre condition et ne lui accorde pas de signification particulière. La mort ne l'angoisse pas. Elle est brutale, survient sans raison et se traduit donc dans ses poèmes sans sentimentalité ni solennité. Il l'accompagne même d'un peu d'humour noir qui souligne l'indifférence du narrateur à son égard, comme le montre le poème « Chanson dans le sang » :

> « Dans la rue passe un vivant
> avec tout son sang dedans
> soudain le voilà mort
> et tout son sang dehors » (v. 45-48)

Il s'attarde aussi sur les meurtres en essayant de comprendre les mobiles des crimes qu'il juge parfois absurdes, parfois défendables.

Selon Prévert, une certaine violence peut être justifiée, essentiellement celle qui émane des faibles opprimés et qui s'exprime contre les forts, les militaristes, les bellicistes, les racistes et les bourgeois, dans la révolution. Ainsi, dans « Le Paysage changeur », les travailleurs sont invités à tuer le capital pour proposer un « paysage tout nouveau tout beau » (v. 84).

S'il envisage la mort avec détachement, Prévert condamne toutefois fermement les entreprises de mort telles que la guerre.

La guerre

Prévert pointe du doigt les coupables de la guerre qui en tirent profit : les journalistes et les écrivains, les politiciens et les dictateurs, les prêtres et les militaires qui ont conditionné l'homme à exalter les vertus guerrières par le culte des individus morts en héros, ce qui provoque la liesse à l'annonce de la guerre. Ainsi, briseur de religion, le poète ne l'est pas moins de certaines grandes réputations dues à des hauts faits de guerre et à des conquêtes sanglantes ; il refuse de s'incliner devant des personnages historiques tels que Louis XIV (roi de France, 1638-1715) et Napoléon Ier (empereur français, 1769-1821) dont la renommée est née d'une tuerie.

L'absurdité de la guerre est suprême : après elle, tout recommence comme avant, jusqu'à la prochaine fois. Rien n'a changé. L'unique différence réside dans le nombre d'absents, massacrés sur l'un ou l'autre autel d'une gloire invisible. Il ne reste qu'à refuser de saluer le commandant, en insoumis :

> « Quelle connerie la guerre
> Qu'es-tu devenue maintenant
> Sous cette pluie de fer
> De feu d'acier de sang » (« Barbara », v. 38-41)

La révolution

Prévert parle en faveur des parias de la société, qu'il s'agisse des grabataires, des truands, des estropiés, des lépreux, des chômeurs, des analphabètes, des clochards ou encore des malheureux et des prisonniers. Mais il écrit aussi pour les soldats engagés dans des guerres que d'autres ont voulues.

Le poète s'étend sur la défense des exploités, ces artisans du bonheur des autres qui ne peuvent pas eux-mêmes y accéder :

> « Ceux qui soufflent vides les bouteilles que d'autres boiront pleines [...]
> ceux qu'on engage, qu'on remercie, qu'on augmente, qu'on diminue, qu'on manipule, qu'on fouille, qu'on assomme,
> ceux dont on prend les empreintes. » (« Tentatives de description d'un dîner de têtes à Paris-France », v. 296-321)

Prévert dépeint le quotidien malheureux de ces travailleurs exploités. Il en souligne la tristesse et la banalité, la dureté des décors de briques qu'ils ont à traverser, la fatigue née des interminables horaires, les mines et les usines, les maladies et la sueur, tout cela pour un salaire de misère :

> « Son salaire est maigre
> ses enfants aussi

> il travaille comme un nègre
> et le nègre travaille comme lui. » (« L'Effort humain », v. 23-26)

Mais Prévert dépasse l'exposition de ces injustices et leur dénonciation pour appeler à l'union et à la révolution. Il attend ainsi le soleil rouge de la révolution qui mettra fin à la dictature du capital et de l'injustice :

> « [...] Et les travailleurs sortiront
> ils verront alors le soleil
> le vrai le dur le rouge soleil de la révolution
> et ils se compteront
> [...]
> et ils riront
> et ils s'avanceront
> une dernière fois le capital voudra les empêcher de rire
> ils le tueront. » (« Le Paysage changeur », v. 68-78)

Le poète appelle à la fin de la domination des pères et des vieillards bornés indiquant toujours le même chemin de la guerre, à la fin du règne des bourgeois et des capitalistes qui s'engraissent aux dépens d'autrui et qui ont pour complices les journalistes, politiciens et religieux.

L'écrivain a choisi de terminer son recueil par le poème « Lanterne magique de Picasso » dont le dernier vers parle d'un monde « beau comme tout », désireux sans doute de clore son œuvre par une note d'espoir et la possibilité d'un monde meilleur. En effet, si Prévert n'a pas assemblé lui-même son recueil, il y a travaillé avec son éditeur : l'ordre des poèmes n'est pas dû au hasard et correspond à une certaine volonté du poète.

STYLE ET INFLUENCES

Une construction affranchie des règles traditionnelles de la poésie

Paroles est un recueil qui se caractérise par une grande diversité de formes poétiques. On retrouve :

- deux poèmes qui ont la forme d'une nouvelle (« Tentative de description d'un dîner de têtes à Paris-France » et « La Crosse en l'air ») ;
- trois poèmes dialogués (dont « L'accent grave ») ;
- trois poèmes qui apparaissent sous forme de liste (dont par exemple le célèbre « Inventaire ») ;
- quatre poèmes en prose (dont par exemple « Souvenirs de famille ») ;
- cinq poèmes/chansons qui présentent un refrain et des couplets (avec notamment « Chanson des escargots qui vont à l'enterrement ») ;
- dix-neuf très courts poèmes, qui ne sont toutefois pas des *haïkus* (très courts poèmes japonais). En faisant le choix de la brièveté, Prévert donne à ses poèmes un aspect incisif ou tendre, mais jamais ampoulé (« L'Automne » par exemple).

Prévert, comme la grande majorité des poètes du XXe siècle, s'affranchit donc des formes classiques de la poésie telles que les tercets ou les quatrains. Pour l'auteur, l'important n'est pas tant la façon de transmettre la poésie mais son regard, son jeu avec les mots. La poésie se libère de ses chaines et devient multiple.

Une attention particulière accordée au langage et à son rythme

Le langage employé par Prévert appartient soit au langage courant, soit au langage familier. L'argot parisien est assez présent dans le recueil. L'intérêt est double pour le poète :

- avec un tel langage, Prévert donne un côté très percutant à ses dires que l'on retrouve par exemple dans le long poème « La Crosse en l'air » : « Ah ! Foutez-moi la paix à la fin/ je ne suis tout de même pas arrivé à mon âge et à ma haute situation pour me laisser emmerder par un malheureux petit libre penseur de rien du tout. » (v. 853-856) ;
- le langage argotique lui permet de revendiquer son côté oral (le recueil se nomme *Paroles*) et sa sensibilité pour les milieux populaires. Le peuple est en effet au centre de ses poèmes, et c'est pour lui que Prévert prend la plume, dans un vocabulaire qui lui est propre.

Ce langage argotique et familier est toutefois sublimé par un soin particulier accordé au rythme. Plusieurs éléments viennent étayer cette idée :

- **l'absence de ponctuation.** La grammaire voudrait qu'une phrase commence par une majuscule, soit ponctuée de virgules, se termine par un point ou un point d'interrogation si question il y a et que des guillemets introduisent le discours direct. Or cette règle de base n'est pas du tout observée par Prévert. Il n'y a pas de guillemets, pas de points d'interrogation, pas de virgules, et les points finaux n'apparaissent qu'à la fin de chaque poème, et ce, même dans les longs poèmes comme « La Crosse en l'Air » où aucune ponctuation ne vient aérer le texte :

> « Alors on ne salue plus
> Je n'ai jamais salué personne dit le veilleur de nuit
> et le Duce est très embêté » (v. 540-542)

Ce choix de Prévert peut s'expliquer par sa volonté de donner plus de liberté d'intonation dans la lecture de ses poèmes ;

- **le choix de certaines figures de style.** Certaines figures de style apportent du rythme aux poèmes de Prévert.
    - la plus récurrente dans le recueil est sans nul doute l'anaphore, une figure de style qui consiste à répéter un mot ou groupe de mots, au sein d'une même phrase ou d'un vers :

> « Le petit homme qui chantait sans cesse
> le petit homme qui dansait dans ma tête
> le petit homme de la jeunesse » (« Le Miroir brisé », v. 1-3)

Cette figure de style permet le martèlement d'un rythme.

- on trouve également l'allitération, une figure de style qui consiste en la répétition de plusieurs consonnes au sein d'une phrase ou d'un vers. Par exemple, toujours dans « Le Miroir brisé », on note cette allitération de consonnes sifflantes :

> « le petit homme de la jeunesse
> a cassé son lacet de soulier » (v. 3-4)

- la paronomase, qui associe des mots ayant des sonorités quasi semblables, mais avec des sens différents :

> « la pipe au papa du papa Pie pue » (« La Crosse en l'air »,

> v. 169)
> « Dépêchez-vous de la dépecer » (« La Pêche à la baleine », v. 33)

- **le rythme ternaire.** À ces figures de style s'ajoute la musicalité de Prévert, très sensible aux rythmes à trois temps qui donnent une impulsion à ses poèmes :

  > « Notre Père qui êtes aux cieux
  > Restez-y » (« Pater Noster », v. 1-2)

  Les deux premiers vers amènent une litanie tandis que le « restez-y » induit une chute de son rythme.

Des registres différents

Les visées de Prévert diffèrent selon les poèmes du recueil, mais trois sont évidentes et nécessitent le recours à trois registres distincts : le registre comique, polémique et enfin onirique.

- **le registre comique** sert à traduire l'humour et le sarcasme propre à Prévert à l'aide de différents procédés littéraires :
  - les contrepèteries, figures de style qui consistent à inverser deux phonèmes au sein d'un vers ou d'une phrase afin de donner un tout autre sens à la phrase : « Martyr, c'est pourrir un peu » (v. 171) (« Souvenirs de famille ») qui remplace d'une façon irrévérencieuse et antireligieuse le proverbe « Mourir, c'est partir un peu » ;
  - les lapsus. Prévert fait mine de se tromper sur des noms propres de façon à mieux les ridiculiser. C'est

le cas notamment de Claude Farrère (écrivain français, 1876-1957) qui devient Claude Führer ; de Drieu la Rochelle (écrivain français, 1893-1945) qui devient Brioche la Rochelle ; de Horace de Carbuccia (journaliste et éditeur français, 1891-1975) qui devient Vorace de Carbucia ;
    - les néologismes, ces termes totalement inventés par le poète. Dans le poème qui ouvre le recueil « Tentative de description d'un dîner de têtes à Paris-France », ils foisonnent : « ceux qui tricolorent [...] andromaquent [...] majusculent [...] ». À travers ce choix d'adjectifs (tricolore), de noms propres (Andromaque) ou commun (majuscule) changés en verbes conjugués à la troisième personne, Prévert parvient à se moquer de l'aspect grandiloquent des hôtes du diner.
- **le registre polémique** est celui qui permet à Prévert de dénoncer soit des concepts, soit des personnes, notamment par le biais de personnifications comme dans « L'Effort humain » : derrière l'effort humain il y a surtout l'homme. Même idée pour le concept de capital dans « Le paysage changeur » : derrière le capital, il y a avant tout les travailleurs. Derrière chaque notion intellectuelle ou chaque concept, Prévert prend garde à remettre l'humain en avant. À cela s'ajoute l'usage de l'équivoque, ce discours ambigu qui peut être interprété de deux façons différentes, tel que dans « La Batteuse ». Après une première lecture, on pourrait penser que le poète évoque simplement des travaux agricoles alors qu'il est en réalité en train de dénoncer l'occupation allemande :

> « Ils ont dansé autour des granges où le blé était enfermé

> Où le blé était enfermé moulu fourbu vaincu
> battu. » (v. 39-41)

Le titre même du poème peut être lu de deux manières : comme la batteuse (qui s'adonne aux travaux agricoles) ou un dérivé du verbe « abattre », « l'abatteuse ». De la même manière que Prévert se sert de la personnification pour évoquer des concepts qu'il juge primordial de ré-humaniser, il emploie des comparaisons pour le moins prosaïques quand il s'agit de dénoncer une personne, comme dans « La Crosse en l'air » : « et voilà l'évêque qui surgit en agitant sa crosse/ son visage est défait comme un vieux lit » (v. 173-174) Non content de s'attaquer à des concepts et des personnes, le poète s'en prend également aux lieux communs du langage. C'est ainsi le côté conventionnel du langage qui est mis à mal quand il écrit « Dans ma maison » : « Faut être bête comme l'homme l'est si souvent/ Pour dire des choses aussi bêtes/ Que bête comme ses pieds gai comme un pinson » (v. 26-28). Selon ce grand spécialiste des oiseaux, cette expression est absurde : le pinson n'est gai que quand il est gai et ne peut l'être par définition.

- cette remise en question du langage va de pair avec un autre registre, **le registre onirique** propre au surréalisme dont a été proche Prévert. C'est en effet dans le rêve et l'inconscient que le surréalisme pioche ses inspirations et son travail sur la langue, notamment par des associations improbables de mots. Dans le poème « Cortège », Prévert s'amuse par exemple à opérer un échange, au sein d'un même vers, entre le nom et le complément : « Un vieillard en or et une montre en deuil » (v. 1). Le rêve est, quant à lui, plus présent encore dans le poème

« Page d'écriture » : « Les murs de la classe/ s'écroulent tranquillement. » (v. 46-47) La classe étant le temple de la raison, il est possible de lire autrement ce vers : « Les murs de la raison s'écroulent tranquillement. » Et puis, il y a le poème final du recueil, « Lanterne magique de Picasso », où Prévert tente de retranscrire l'effervescence imaginative de son ami Picasso via des associations et des collages de mots : « Et tout à côté sur la table une grenade ouverte avec toute une ville dedans. » Seuls l'inconscient et le rêve seraient en mesure d'associer ces deux éléments. L'histoire ne nous dit pas comment ce chantre prônant l'évasion de la salle de classe aurait réagi en apprenant que ses poèmes font partie des poèmes les plus récités dans ce lieu.

LE SURRÉALISME

L'influence du surréalisme sur Prévert se fait sentir dans l'affranchissement des contraintes du vraisemblable, les automatismes et les images nouvelles.

Le surréalisme est un mouvement culturel, artistique et littéraire s'inspirant des travaux de Freud (neurologue autrichien, père de la psychanalyse, 1856-1939) sur l'inconscient, qui est apparu au lendemain de la Première Guerre mondiale (1914-1918). Ses principaux représentants, André Breton, Paul Éluard, Louis Aragon (1897-1982) et Robert Desnos (1900-1945) réfutaient toute idée de contrainte et de construction logique. Étaient plutôt privilégiés le rêve et l'irrationnel. En littérature, cela se manifestait par le recours à une écriture automatique (travail d'écriture qui consiste à coucher sur papier ses pensées avec aucune forme de censure ou de contrôle de la raison) ou à d'autres techniques comme le cadavre exquis (jeu d'écriture collaborative qui consiste à faire composer une phrase ou un dessin par plusieurs personnes sans qu'aucune d'elles puisse tenir compte de la collaboration ou des collaborations précédentes, d'après la définition du *Dictionnaire abrégé du surréalisme*). Sur le plan pictural, des artistes comme Salvador Dalí (1904-1989) ou René Magritte (1898-1967) s'efforcent également non pas d'analyser leurs rêves, mais bel et bien de les représenter, qu'ils soient inquiétants ou naïfs.

Tout se situe donc dans le rêve. On pense aux vers « Les murs de la classe/ s'écroulent très tranquillement » (v. 46-47) du poème « Page d'écriture » où les associations d'idées foisonnent pour offrir de nouvelles perspectives. Il y a bien sûr également les collages, qui sont issus de cette inspiration, utilisés dans l'ensemble du poème « Lanterne magique de Picasso » et qui permettent à Prévert de faire des clins d'œil à ses lecteurs cultivés. Cependant, contrairement aux vrais surréalistes, le poète, s'il brise les automatismes du langage, ne fait pas de son inspiration un bric-à-brac.

PISTES DE RÉFLEXION

QUELQUES QUESTIONS POUR APPROFONDIR SA RÉFLEXION…

- À qui s'adresse Prévert dans son recueil ?
- Quel portrait de l'auteur peut-on dresser d'après *Paroles* ?
- Quelles sont les valeurs présentes dans l'œuvre ?
- Dans *Paroles*, Prévert endosse-t-il le rôle de fabuliste ?
- Quels liens peut-on établir entre la poésie de Prévert et celle d'Aragon ?
- Quel est le rôle des saisons dans l'œuvre ?
- Pourquoi Prévert associe-t-il la naissance et la mort ?
- Quelle est l'image de la famille véhiculée dans le recueil ?
- Relevez des inventions verbales dans le poème « La Crosse en l'air ».
- Que pouvez-vous dire des rimes et du rythme dans le poème « Le Paysage changeur » ?

Votre avis nous intéresse !
Laissez un commentaire sur le site de votre librairie en ligne
et partagez vos coups de cœur sur les réseaux sociaux !

POUR ALLER PLUS LOIN

ÉDITION DE RÉFÉRENCE

- PRÉVERT J., *Paroles*, Paris, Gallimard, coll. « Folioplus classiques », 2004.

ÉTUDE DE RÉFÉRENCE

- LASTER A., *Paroles. Prévert*, Paris, Hatier, coll. « Profil d'une œuvre », 1972.

ADAPTATIONS

- GRÉCO J., « Les feuilles mortes » et autres poèmes, paroles de Jacques Prévert et musique de Joseph Kosma, 1951.
- MONTAND Y., album *Yves Montand chante Jacques Prévert*, 1962.

Retrouvez notre offre complète sur lePetitLittéraire.fr

- des fiches de lectures
- des commentaires littéraires
- des questionnaires de lecture
- des résumés

Anouilh
- Antigone

Austen
- Orgueil et Préjugés

Balzac
- Eugénie Grandet
- Le Père Goriot
- Illusions perdues

Barjavel
- La Nuit des temps

Beaumarchais
- Le Mariage de Figaro

Beckett
- En attendant Godot

Breton
- Nadja

Camus
- La Peste
- Les Justes
- L'Étranger

Carrère
- Limonov

Céline
- Voyage au bout de la nuit

Cervantès
- Don Quichotte de la Manche

Chateaubriand
- Mémoires d'outre-tombe

Choderlos de Laclos
- Les Liaisons dangereuses

Chrétien de Troyes
- Yvain ou le Chevalier au lion

Christie
- Dix Petits Nègres

Claudel
- La Petite Fille de Monsieur Linh
- Le Rapport de Brodeck

Coelho
- L'Alchimiste

Conan Doyle
- Le Chien des Baskerville

Dai Sijie
- Balzac et la Petite Tailleuse chinoise

De Gaulle
- Mémoires de guerre III. Le Salut. 1944-1946

De Vigan
- No et moi

Dicker
- La Vérité sur l'affaire Harry Quebert

Diderot
- Supplément au Voyage de Bougainville

Dumas
- Les Trois Mousquetaires

Énard
- Parlez-leur de batailles, de rois et d'éléphants

Ferrari
- Le Sermon sur la chute de Rome

Flaubert
- Madame Bovary

Frank
- Journal d'Anne Frank

Fred Vargas
- Pars vite et reviens tard

Gary
- La Vie devant soi

Gaudé
- La Mort du roi Tsongor
- Le Soleil des Scorta

Gautier
- La Morte amoureuse
- Le Capitaine Fracasse

Gavalda
- 35 kilos d'espoir

Gide
- Les Faux-Monnayeurs

Giono
- Le Grand Troupeau
- Le Hussard sur le toit

Giraudoux
- La guerre de Troie n'aura pas lieu

Golding
- Sa Majesté des Mouches

Grimbert
- Un secret

Hemingway
- Le Vieil Homme et la Mer

Hessel
- Indignez-vous !

Homère
- L'Odyssée

Hugo
- Le Dernier Jour d'un condamné
- Les Misérables
- Notre-Dame de Paris

Huxley
- Le Meilleur des mondes

Ionesco
- Rhinocéros
- La Cantatrice chauve

Jary
- Ubu roi

Jenni
- L'Art français de la guerre

Joffo
- Un sac de billes

Kafka
- La Métamorphose

Kerouac
- Sur la route

Kessel
- Le Lion

Larsson
- Millenium I. Les hommes qui n'aimaient pas les femmes

Le Clézio
- Mondo

Levi
- Si c'est un homme

Levy
- Et si c'était vrai…

Maalouf
- Léon l'Africain

Malraux
- La Condition humaine

Marivaux
- La Double Inconstance
- Le Jeu de l'amour et du hasard

Martinez
- Du domaine des murmures

Maupassant
- Boule de suif
- Le Horla
- Une vie

Mauriac
- Le Nœud de vipères

Mauriac
- Le Sagouin

Mérimée
- Tamango
- Colomba

Merle
- La mort est mon métier

Molière
- Le Misanthrope
- L'Avare
- Le Bourgeois gentilhomme

Montaigne
- Essais

Morpurgo
- Le Roi Arthur

Musset
- Lorenzaccio

Musso
- Que serais-je sans toi ?

Nothomb
- Stupeur et Tremblements

Orwell
- La Ferme des animaux
- 1984

Pagnol
- La Gloire de mon père

Pancol
- Les Yeux jaunes des crocodiles

Pascal
- Pensées

Pennac
- Au bonheur des ogres

Poe
- La Chute de la maison Usher

Proust
- Du côté de chez Swann

Queneau
- Zazie dans le métro

Quignard
- Tous les matins du monde

Rabelais
- Gargantua

Racine
- Andromaque
- Britannicus
- Phèdre

Rousseau
- Confessions

Rostand
- Cyrano de Bergerac

Rowling
- Harry Potter à l'école des sorciers

Saint-Exupéry
- Le Petit Prince
- Vol de nuit

Sartre
- Huis clos
- La Nausée
- Les Mouches

Schlink
- Le Liseur

SCHMITT
- La Part de l'autre
- Oscar et la Dame rose

SEPULVEDA
- Le Vieux qui lisait des romans d'amour

SHAKESPEARE
- Roméo et Juliette

SIMENON
- Le Chien jaune

STEEMAN
- L'Assassin habite au 21

STEINBECK
- Des souris et des hommes

STENDHAL
- Le Rouge et le Noir

STEVENSON
- L'Île au trésor

SÜSKIND
- Le Parfum

TOLSTOÏ
- Anna Karénine

TOURNIER
- Vendredi ou la Vie sauvage

TOUSSAINT
- Fuir

UHLMAN
- L'Ami retrouvé

VERNE
- Le Tour du monde en 80 jours
- Vingt mille lieues sous les mers
- Voyage au centre de la terre

VIAN
- L'Écume des jours

VOLTAIRE
- Candide

WELLS
- La Guerre des mondes

YOURCENAR
- Mémoires d'Hadrien

ZOLA
- Au bonheur des dames
- L'Assommoir
- Germinal

ZWEIG
- Le Joueur d'échecs

www.lepetitlitteraire.fr

ISBN version numérique : 978-2-8062-9310-7
ISBN version papier : 978-2-8062-9311-4
Dépôt légal : D/2017/12603/19

Avec la collaboration de Célia Ramain pour l'étude des personnages ainsi que pour les chapitres « Une construction affranchie des règles traditionnelles de la poésie », « Une attention particulière accordée au langage et à son rythme » et « Des registres différents ».

Conception numérique : Primento, le partenaire numérique des éditeurs.

Ce titre a été réalisé avec le soutien de la Fédération Wallonie-Bruxelles, Service général des Lettres et du Livre.

Printed in Great Britain
by Amazon

33605349R00020